een roos voor toos

Marianne Bus ... ler
tekeningen va ... e

maantjes

WO Zwijsen

ik ben tim.

ik ben moos.

ik ben pim.

en ik ben toos.

3

ik ben tim.
ik ben een beer.
ik vaar in een boot.
een boot in een meer.

ik ben moos.
ik eet een noot.
ik vaar met tim.
met tim in een boot.

ik ben pim.
ik vaar in een boot.
ik vaar met moos.
en ik vaar met tim.

ik ben toos.
ik ben een aap.
ik vaar met pim,
met moos en tim.

toos eet een peer.
een peer in de boot.
pim eet een bes.
en moos eet een noot.

er is een vis.
een vis in een net.
soos is een vis.
een vis met een pet.

ik ben een vis.
en ik ben soos.
een vis in een net.
en ik ben boos.

een vis in een net
is raar – is raar.
een vis in een net
is naar – is naar.

een vis in een net!
toos is boos.
een mep voor tim,
voor pim en voor moos.

een mep voor pim.
een mep voor moos.
een mep voor tim.
ik ben boos!

een vis in een meer.
tim is boos.
en pim is boos.
en moos is boos.

een boot in een meer
met tim en moos.
een boot in een meer
met pim en toos.

een vis in een meer.
een vis met een roos.
een vis in een meer
met een roos voor toos.

een roos - een roos.
soos met een roos.
een roos - een roos.
een roos voor toos.

toos met een roos.
een roos in een poot.
toos met een roos.
een roos in een boot.

een boot in een meer
met tim en moos
met pim en toos
en met een roos.

Serie 3 • bij kern 3 van Veilig leren lezen

Na 7 weken leesonderwijs:

1. sep is boos
Frank Smulders en
Leo Timmers

2. een roos voor toos
Marianne Busser &
Ron Schröder en
Marjolein Pottie

3. ris, ris!
Maria van Eeden en
Jan Jutte

4. ik sem er?
Anneke Scholtens en
Pauline Oud

5. ik tem een beer
Annemarie Bon en
Tineke Meirink

6. een vis met een pet
Anke de Vries en
Camila Fialkowski

7. sok aan, moos!
Daniëlle Schothorst

8. saar en toon
Stefan Boonen en
An Candaele